# 我的吸血鬼同學

## 22 傀儡女王

創作繪畫 · 余遠鍠　　故事文字 · 陳四月

# 目錄

## 迦南

擁有金黃魔力的人類少女。好奇心重，領悟力強，平易近人的她曾被黑暗勢力封印起她的魔力。現時是西方學園的學生。

## 安德魯

吸血鬼高材生。外形冷酷，沈默寡言，與迦南兩情相悅。曾因血癮而誤入魔道。

## 卡爾

胃口極大的人狼。是學園小食部常客，身材健碩，熱愛跑步，經常遲到的他和安德魯自小已認識。

## 四葉

來自東方學園的九尾妖狐少女。活潑好動而且十分熱情的她和卡爾有婚約在身。和迦南一樣，四葉也擁有金黃魔力。

## 阿諾特

吸血鬼一族的王子。是被寄予厚望的天才。追求力量和榮耀的他自視高人一等，對同樣被視為天才的安德魯抱有敵意。

## 唐三藏

東方學園的年輕教師，和迦南一樣是人類。法術高強的她美貌與智慧並重，心地善良以作育英才為己任。

## 孫悟空

在東方魔幻世界中無人不知的名字。失去記憶的他只知道自己要保護唐三藏，但為什麼變成了小猴卻是謎團。

## 右京

現存人數不多的忍者一族的領袖，不單法術了得，還有牛具備彌特異能。曾經是獵人的他和丹妮絲關係密切。

## 金鈴

來自女兒國的特別導師，深受女帝愛戴和重用。足智多謀，而且心狠手辣，是盤絲洞蜘蛛女妖銀鈴的姐姐。

## 依娃

稀有的不死族妖魔，不老不死的她已經活了幾百年。被封印在魔法瓶子內的她仍相信總有一天能回到九頭蛇海德拉身邊。

## 鐵扇公主

來自帝都的特別導師，驍勇善戰巾幗不讓鬚眉，而且擅長烹飪。是和牛魔王指腹為婚的未婚妻。

## 加百列

世上僅有的七名「守望者」之一，隸屬於公會總部，擁有任意指揮專業獵人的權力，是最高級獵人的象徵。

我的
吸血鬼同學

安德魯和迦南回到盤絲洞尋找馬家姐妹，但姐姐雙兒一見安德魯便**大動干戈**，兩人合力制服了受銀針操控的雙兒，走進洞內已不見銀鈴和雙雙的蹤影。

「我們來遲了……是我猶豫不決，才導致今日的局面。」安德魯很自責。

「現在最重要的是找出她們的下落，我相信雙兒一定有線索的。」迦南對雙兒使用治療魔法，雙兒的身體狀況漸見起色。

「你這個騙子……唐三藏呢？既然你沒有捉拿唐三藏，為什麼還要出現在我面前？」雙兒回復知覺，面對安德魯還是滿腔怒火。

雙雙身上的殭屍秘法快要失效，沒有唐三藏體內的聖舍利，雙兒便會失去她最後的家人。

　　「雙兒，銀鈴和她的姐姐其實是為女兒國效力的人，她們需要唐三藏並不是為了救雙雙，一切只是為了**製造更多殭屍**，她們和殺害你家人的妖魔仙人，全是同伙。」安德魯已了解他們的關係，由始至終，他和馬家姐妹都是被他們利用。

　　「但最起碼……銀鈴答應我會向女帝提出要求，讓雙雙復活。」雙兒向安德魯和迦南說出銀鈴離開前告訴她的事。

　　較早之前，銀鈴以銀針控制住雙兒的身體；銀鈴在洞內等到跟金鈴約定好的時間，但金鈴和安德魯也沒有出現，她只好帶著雙雙回去女兒國，那裡將會是奪取聖舍利的儀式所進行的地方。

計劃本
來是由金鈴和
安德魯二人合力，
把唐三藏從東方學園
捉走，帶來盤絲洞和銀
鈴會合，然後把唐三藏押回女兒國，
奉獻給女帝。

　　但這原定的計劃已被打亂了：

　　　　安德魯擺脫了金鈴的操縱，逃離
了東方學園；金鈴更被鐵扇公主
制服，成了階下囚。

　　　　只不過這樣也無法改變局面：唐三
藏最終還是落入妖魔二大仙的手中。羊
力大仙和鹿力大仙偽裝成麒麟校長和龜仙
翁，把唐三藏欺騙到望月塔內；然而望月塔是
能任意放大縮小的法術器具，唐三藏已被
妖魔仙人帶入女兒國內，而她還被蒙在鼓裡。

「但是……雙兒，這樣的結果真的好嗎？真的是雙雙所希望的嗎？」迦南說出安德魯不敢說出口的事。

「你就是迦南吧？我妹妹想要什麼，你又會知道嗎？」雙兒**怒氣沖沖**，她從安德魯的夢話中，聽過無數次迦南的名字。

「我的確不了解你的妹妹，如果可以……我也很想深入認識你們。你們在安德魯命危時向他伸出援手，對我而言，你們就像我的恩人。」迦南一直想向她們親口道謝，全靠她們拔刀相助，她才有機會和安德魯團聚。

「但我相信要**強行奪取別人的性命**，來換取自己的性命，不會是雙雙樂意接受的。」迦南的樣貌和雙雙有幾分相似，雙兒看著迦南的時候特別感觸，並想起妹妹的確說過相同的話。

「你是唐三藏的學生，你當然會站在她的立場袒護她……但雙雙是我的妹妹，難道想拯救她的我，又有錯嗎？」雙兒十分憤恨，她也知道，道理並不站在自己這方，但她就是不甘願接受現實。

現實是**殘酷**的、不溫柔的，但人可以選擇保持一顆善良的心，以真誠待人。

「不要讓雙雙帶著罪疚感復活……這樣會害她活在痛苦之中，抱憾終生。」安德魯身同感受，背叛別人的罪疚感，曾令他**痛不欲生**。

「雙兒，你也一樣……如果因為奪走一條人命換來你妹妹的復活，你往後同樣會無法原諒自己。」迦南輕握雙兒的手，希望能給予她勇氣和安慰。

看著和妹妹容貌相似的迦南，就像聽到妹妹親口告誡自己，雙兒終於放下執著，作出正確的抉擇。

「雙雙……被銀鈴帶回了女兒國。」雙兒最後能為妹妹做的，是留在妹妹身邊，陪她渡過餘下的時間。

「女兒國……是女帝鳳禧統治的地方，守衛森嚴，如果唐老師被帶到那裡，便糟糕了。」安德魯回想起在那裡的經歷，感到不寒而慄。

女帝的**佔有慾強**，而且她對安德魯十分感興趣，想要他做自己的夫婿，安德魯若然再次進入女兒國，等於主動送羊入虎口。

「我可以打開**傳送門**，傳送大家到境內。」

只要運用女王的力量，迦南便沒有去不到的地方。

　　「但以安德魯這身打扮，就算入到境內也會被馬上發現。」雙兒制止了迦南。

　　「那應該怎麼辦？」迦南問。

　　「解決方法和上次一樣。」雙兒說。

　　「上次？」迦南不知道她們有過的經歷。

　　「**吓……難道是**……」安德魯雖然不情不願，但他已猜到正確答案。

　　女兒國是東方三大國家之一，三國本來互不侵犯和平共處，但這平衡將要被打破，若然女兒國得到殭屍大軍，它的實力絕對足以同時應付其餘兩個國家。

　　問題是長久以來**各自為政**的帝都和四海，能否在關鍵時刻互相信任，共同對抗掌控殭屍大軍的女兒國？

女兒國的鳳凰宮殿內，妖魔三仙人齊集於此晉見女帝鳳禧，這是一個**特別的日子**，因為他們終於得到用來完成殭屍秘法的重要原材料——唐三藏。

「唐三藏就在這小塔內？」鳳禧一臉難以置信的表情。

「女帝你有所不知了，這小金塔可是先王親手製造的**法術器具**，能放大縮小的望月塔。」虎力大仙掌中的小金塔正是東方學園內的望月塔。

先王？你指的是？

「先王，指的是曾一統東方魔幻大陸的國王——偉大的**鳳明君**。雖然他早已離世，但他的事蹟，我們從未忘記。」東方三分天下的局面，是鳳明君死後才開始。虎力大仙等妖魔三大仙，曾是扶助他的三位法師，相當於重要官員。

鳳明君在位期間，東方大陸天下太平，國泰民安，是文武雙全的賢明君主。只可惜天妒英才，鳳明君患上**不治之症**，英年早逝。

「你們認識我的父親？」鳳禧是鳳明君的後裔，是世上稀有的鳳凰族妖魔。

「我們有幸曾扶助先王，他的離世是東方魔幻世界有史以來，最大的損失……」虎力大仙惋惜的說。

「他只不過是個重男輕女，把我發配邊疆的**偽君子**。我父親一死，諸侯紛紛劃地為王，你爭我奪，證明偽君子手下的所謂賢臣，

和他一樣虛有其表。」鳳禧痛恨她的父親，身為女兒的她不受重視，投閒置散，導致她日後對異性充滿憎惡。

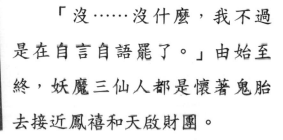

因為只有不死的皇朝，才能建立永恆的盛世。

你說什麼？

鳳禧不以為然。

「沒……沒什麼，我不過是在自言自語罷了。」由始至終，妖魔三仙人都是懷著鬼胎去接近鳳禧和天啟財團。

「現在有了唐三藏，我需要的殭屍大軍和超級殭屍何時才能到手？你的商品不是被人界的吸血鬼燒毀了嗎？」對鳳禧來說，妖魔三大仙只不過是販賣武器的商人。

殭屍是由死去的妖魔屍體復活而成，在阿諾特把礦洞的殭屍大軍燒毀後，妖魔三大仙手上沒有商品進行交易。

　　「女帝請不用擔心，一切已準備就緒，明天晚上就是最適合進行儀式的**良辰吉日**，到時候我們一定能給你滿意的答案。」一切都盡在虎力大仙的掌控之中。

　　沒有死亡的世界，是可以達成的。妖魔三仙人想要的不只是**天下大亂**，還想把沒有死亡的世界實現出來。

## 第二章

# 真誠剖白

　　卡爾、四葉和愛莉變化成布偶，混入艾爾文的行李中成功離開了東方學園，正身處於東西雙方的交界，但他們對於現在該前往哪裡，其實**一頭霧水**。

　　「那麼……現在該怎麼辦？」艾爾文沒有選擇回去人界，他相信安德魯是被陷害的。

　　「迦南和安德魯會在什麼地方？卡爾，你能嗅出他們的氣味嗎？」四葉想盡快和已淪為通緝犯的迦南和安德魯會合。

　　「我試試吧……」卡爾唯有依靠人狼靈敏的嗅覺。

　　「我好像能嗅到安德魯的氣味，但同時夾雜著**令人討厭**的……更濃烈的氣味。」卡爾真的嗅到熟悉的氣味。

「真的嗎？那我們還在等什麼？出發吧！」愛莉雀躍的說。

「**在那邊！**」卡爾變身人狼奔跑，氣味的源頭行蹤飄忽，且速度甚快。

「安德魯！」但就算再快，也避不過全速奔跑的人狼，卡爾成功把對方撲倒地上。

「你認錯人了……你是人狼卡爾？」被撲倒的人雖然是**吸血鬼**，但並不是安德魯。

「阿諾特！你為什麼會在這裡的？鬼鬼祟祟的在幹什麼？」卡爾對阿諾特印象不良好，他只記得阿諾特常常針對安德魯。

「卡爾你不是追著安德魯的氣味跑嗎？為什麼會是阿諾特的？」四葉等人先後趕到現場。

「我在幹什麼不用和你們交代，只是……你們不是應該在東方學園的嗎？」阿諾特剛從皇城尋求國王阿瑟的協助，身為公會通緝犯的他，不能**光明正大**行動。

眾人狹路相逢，最大的共通點，是他們都在為自己認為是正確的事，違反了規則。

「是我先發問的！你先回答我的問題，為什麼你身上有安德魯的氣味？」卡爾嗅著阿諾特的身體，他身上的確沾上安德魯的氣味，因為阿諾特和安德魯在人界有過短暫的共聚時間。

「阿諾特，你就老實回答我們吧，安德魯和迦南遇上麻煩了，能幫助他們的就只有我們。」艾爾文算是和阿諾特關係變好了，但他不知道自己離開人界後，阿諾特闖下更大的禍。

「唔……如果你們在找安德魯的話，就去女兒國吧！雖然我不肯定他此時此刻身在何處，但最終他一定會前往女兒國。」思前想後，阿諾特決定告訴他們安德魯的去向。

阿諾特和安德魯面對著不同的敵人，但他們的敵人勢力龐大而且有著合作關係，能多一分力量去對抗他們總是一件好事，所以阿諾特

一五一十，向大家解釋女帝鳳禧、妖魔三大仙和天啟財團的**利害關係**。

「*安德魯果然是被金鈴陷害的……*」聽罷前因後果的四葉氣憤地說道。

「我要說的已經說完了，要怎樣做你們自己決定吧。」阿諾特還要趕回人界，為接下來的戰鬥做準備。

「阿諾特，艾翠絲她還好吧？」艾爾文已離開人界一段日子，對於妹妹的近況他一無所知。

阿諾特心想，如果告訴艾爾文，艾翠絲已暫停獵人公會的職務，甚至對獵人公會的行事作風有所懷疑，只會增添麻煩。而且艾爾文十分固執，知道他們違背公會指示，甚至成為公會通緝的對象，肯定**大發雷霆**。

「和你在人界時沒有多大分別，你不用擔心，繼續忙你的事吧。」因此阿諾特選擇隱瞞，避免**節外生枝**。

「我的妹妹，就拜托你多多照顧了。」說到底，艾爾文也是個關心妹妹的哥哥，而這一點感情，阿諾特亦是一樣。

「放心，有本王子在，誰也傷不了艾翠絲一根汗毛。」阿諾特許下承諾。

阿諾特說罷便和艾爾文分道揚鑣，實力

強橫的阿諾特有信心不會讓人傷到艾翠絲的身體，但他沒想過，自己或許會成為令艾翠絲最受傷害的人。

有時候，傷害不只於肉體，還有⋯⋯心靈。


望月塔內，被妖魔仙人催眠昏睡的小猴從夢中醒來，睜開雙眼後看到唐老師就在面前，十分震驚。

「**師父！見到你實在太好了！**」小猴立即抱住唐老師。

「我只不過是暫時留在這裡呀，待校長把事情查個水落石出，我就能出去了。」唐老師對塔外的事一無所知，法術器具望月塔能把外界的一切事物隔絕。

「師父，那校長是**妖魔**假扮的！一切也是用來捉走師父你的圈套呀！」小猴激動不已，他把自從唐老師進入望月塔後發生的事，

一五一十告訴了她。

「安德魯……迦南，還有其他學生，他們的狀況還好嗎？」雖然唐老師身陷險境，但她還是把學生的安全放在第一位。

「**我不知道……我只知道他們都是不可信的，每個人都是存心欺騙師父的！**」小猴放聲痛哭，迦南和安德魯的背叛令他深受打擊。

而說到欺騙，小猴同樣對唐老師心中有愧。

「我相信他們是為勢所迫的，現在最重要的是先離開望月塔……」唐老師相信學生的為人，但望月塔是無法從**內部摧毀**的法術器具，唐老師幾番嘗試，依然不能從內部打開缺口。

「難道我們只能在這裡坐以待斃嗎？悟空你能變回原來的樣子，回復力量嗎？」唐老師煞費思量也**徒勞無功**，除非，齊天大聖孫悟空的力量，能在此刻創造奇蹟。

　　小猴把手藏到背後，搖搖頭不敢和唐老師說話。

　　「你怎麼了？藏了什麼在背後嗎？」唐老師問。

　　謊言終有被拆穿的一天，小猴對唐三藏隱瞞的事，來到必須坦白的時候了。

　　「師父我……不是孫悟空。」自從和安德魯大戰一場後，小猴的手腳變得愈來愈稀薄，距離他消失殆盡，已經時日無多。

　　「你在說什麼呀？我不是見過好幾次你變回孫悟空的模樣了嗎？」唐老師相信自己的眼睛，也相信三番四次兌現保護她這承諾的孫悟空。

「對不起，是我欺騙了你……我不是孫悟空，我只是他製造出來的分身。」小猴伸出已變得接近**完全透明**的右手。

小猴在花果山決戰黑牛帝後，已回想起自己是怎樣誕生的，但他沒有在第一時間向唐老師坦白。因為他想留在唐老師身邊保護她、照顧她，這份**不捨之情**，導致他們錯過解放真正的孫悟空的先機。

## 第三章

# 作戰前夕（上）

人界教堂內，艾翠絲正在整理她的武器，明天晚上就是向天啟財團發動突襲的時機，滿懷心事的艾翠絲只希望一切順利進行。

艾翠絲一個不留神，夾到了指頭。

其實艾翠絲十分不安，她在做有違獵人公會的事，但她心知自己是正確的。

「阿諾特還未回來嗎？」再加上較早前阿諾特說希望她離開公會，正式加入他創立的組織，艾翠絲還未能在兩者之間作出選擇。

是該留在為自己的**信念**而奮鬥的阿諾特身邊？還是該繼續為自己一直信以為正義的獵人公會作出貢獻？選擇哪一方，都將會嚴重影響艾翠絲往後的人生。

在說我壞話嗎？

　　黑霧穿過窗戶而入，阿諾特已回到在人界的大本營，站在艾翠絲的背後。

　　「嚇死我了！你就不能正正經經的出現嗎？」艾翠絲生氣的說。她很討厭阿諾特總是突然消失，又突然出現，這讓她感到不安。

　　「你的手指頭怎麼**紅紅腫腫**的？是自己笨手笨腳弄傷的嗎？」阿諾特喜歡拿艾翠絲來開玩笑，她生氣的樣子充滿活力。

「不用你關心，你不是去魔幻王國向阿瑟國王請求派出支援嗎？為什麼只有你一個回來的？」艾翠絲不想跟阿諾特繼續鬥嘴。

「我辦事你放心，明晚他們便會準時出現，只不過……」阿諾特欲言又止。

「不過什麼？」艾翠絲有**不祥的預感**，阿諾特的處事方式太出人意表。

「國王派出的這批援軍，身份有點特殊……你可能會嚇一跳的，別怪我不事先聲明，你最好有心理準備。」如非必要，阿諾特也不想動用這批援軍，只不過面對這次的敵人，他不能再作保留。

「我已經習慣了你這亂來的**壞傢伙**，相信明天無論發生什麼事也嚇不倒我。」艾翠絲和阿諾特朝夕相對已有一段時間，當中他們經歷過不少難關，尤其親眼見證了這大家庭的誕生。

「不，我相信你一定會目瞪口呆。」阿諾特很滿意自己的安排。

「明天……我們會再次遇到右京對吧？」艾翠絲的師父丹妮絲還**生死未卜**，她只知道丹妮絲在右京手上。

「放心吧，你師父一定沒有性命危險，如果右京有殺害丹妮絲的意思，我們早已看到她的屍體了。」阿諾特一直期待再次和右京交手，能令他感到**束手無策**的對手，目前只有右京一個。

「上一次你問我的問題……在明天的事結束後，我便給你答覆吧！」在尋找丹妮絲的過程裡，艾翠絲受過阿諾特很多幫助，這些艾翠絲都有看在眼裡。

「早點休息吧，我們明晚會很忙碌的。」阿諾特要從天啟集團手上救出被囚禁的九頭蛇海德拉。

妖魔和人類相隔多年的鬥爭將要重演，阿諾特明晚的行動，和安德魯的行動一樣，對未來影響深遠。

東方學園內，金鈴行刺白龍的計劃被鐵扇公主破壞，潛伏多時的金鈴終於被捕，但當鐵扇公主和牛魔王把金鈴押送到校長室準備進行審問之時，東方學園已經**變天**了。

鐵扇公主一臉疑惑：

校長呢？

牛魔王驚訝地說：「鐵扇公主，你快看看窗外……望月塔不見了。」

「哈哈……你們發現得太遲了。」金鈴雖然被綑綁起來，但她還是**洋洋得意**。

「你到底幹了什麼？唐三藏呢？你把她帶到哪裡了？」鐵扇公主心急如焚，她是為了確保唐三藏的安全而來東方學園。

「從時間來看……唐三藏應該已落入鳳禧陛下手上，誰也再阻止不了女兒國一統天下的大業，女兒國的軍隊很快便會帶領殭屍大軍，把你們帝都和四海**夷為平地**！」金鈴已達成目標，刺殺白龍只是掩眼法，金鈴的真正目的是吸引鐵扇公主的注意，讓羊力大仙和鹿力大仙在神不知鬼不覺的情況下帶走唐三藏。

「你還敢在這裡得戚……看我現在便拍扁你這臭蜘蛛！」怒氣沖沖的鐵扇公主高舉芭蕉扇。

「鐵扇公主，現在不是意氣用事的時候。」腹部受重創的白龍雖然已沒有性命危險，但仍然面色蒼白。

「唯有結合我們兩國的力量，才能阻止女兒國的陰謀。」白龍深知**不死的軍隊**有多可怕，四海和帝都難以獨善其身。

「你說得對，三國鼎立的局面到此為止，我們聯手對付這邪魔外道吧。」國與國的信任是難以建立的，唯有面對共同的敵人，才能放下猜疑。

　　鐵扇公主和白龍分別啟程回去自己的國家。清楚事態發展的他們，能夠說服各自的君主派兵出馬，合力對抗徹底**黑化的女兒國**嗎？

　　風和日麗的早上，女兒國境內一片熱鬧氣氛，像是舉辦著慶祝活動，國民的臉上都充滿笑容，就連官兵守衛的警戒也鬆懈了許多，這正好為安德魯等人提供了，混入女兒國境內。

　　「原來這就是女兒國，大街上只看到女性妖魔的身影，連一個男生也沒有啊！」迦南首次踏足女兒國，換上東方服裝後，她和女兒國的國民沒有分別。

　　「因為這裡不歡迎男性妖魔啊……」安德魯畏縮著說。

　　「安德魯你別鬼鬼祟祟，光明正大挺起胸膛，不然會更惹人懷疑的。」汲取上次的教訓，這一次雙兒先替安德魯變裝成女生的模

樣才入境。

「你說得輕鬆……我一想起那可怕的女帝便**手心冒汗**。」鳳禧擁有能令男性妖魔弱化的鳳凰魔力，安德魯曾親身體驗過。

「不用擔心呀，你現在看起來和女生完全沒有分別，甚至比我和雙兒更漂亮呢。」女裝的安德魯令迦南大飽眼福。

「對呀，難怪女帝看上了你，在這裡被識穿的話，恐怕你以後要留在女兒國做她的夫君了。」雙兒不忘找機會對安德魯嘲諷一番。

「別開玩笑了……我們找到雙雙後，便盡快離開吧！」安德魯可不想成為女帝的玩具。

前方的廣場人潮湧湧，三人上前想打聽一下發生了什麼盛大喜事，怎料稍為接近廣場，安德魯等人便感受到強大而且熟悉的魔力，躲在人群中生怕被人發現。

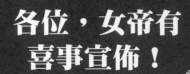

各位，女帝有喜事宣佈！

　　虎將軍召集了廣場民眾，除了女帝鳳禧外還有更多安德魯熟悉的面孔在廣場中央。

　　廣場一片熱烈的掌聲和歡呼聲，女帝身旁除了虎將軍外，還有欺騙了安德魯等人的蜘蛛女妖銀鈴，以及導致東方魔幻世界一片混亂的妖魔三大仙。

## 「今天是一個重要的日子。」

女帝說話的瞬間，整個廣場的人肅立靜聽。

銀鈴在場，代表雙雙已在女兒國的某一個地方。

「自女兒國創立以來，我們一直面對著帝都和四海兩個國家的威脅，他們認為以女性主導的女兒國，是軟弱的，是**不堪一擊**的……」女帝鳳禧一臉委屈，她的演講充滿感情。

「他們認為女兒國的女將，經不起他們的侵襲，他們想把自己的觀念強行加諸在我們女兒國的國民身上！」鳳禧開始煽動國民的情緒，把真相扭曲，裝出**受害者**的姿態。

「但他們錯了……女兒國不會任由別人凌駕在上，面對欺壓，我們絕不會委曲求全、坐以待斃！」鳳禧的鳳凰魔力，開始影響廣場內的女性，令她們感覺力量充沛，血脈沸騰。

「今晚，我國將會進行特別的儀式，為對抗外敵進行準備。明天開始……就是女兒國向他們展示出力量的時候，帝都和四海將會見識到女兒國才是**天命所歸**，整個東方魔幻世界將奉行我們女兒國的一套！」鳳禧的豪言壯語，鼓舞全場，她是女性妖魔的偶像，是巾幗梟雄的代名詞。

躲藏在人群中的迦南和安德魯立即意識到不妥，女帝突然信心十足，而妖魔三大仙就在她身後，代表唐三藏老師已落入她們手中，特別的儀式一定就是以聖舍利為原材料的殭屍秘法完全版。

## 「明天，就是新時代的開始！」

女帝的演講成功激勵全場女性，唯獨雙兒和迦南深知道大事不妙。

這一邊廂女帝為戰前進行演講，遠在人界的另一邊，阿諾特也在進行作戰前的最後準備，

天啟集團突擊戰將會在今晚開始。不約而同地，若要拯救唐三藏免被傷害，安德魯今晚也必須採取行動。

　　人界教堂之內，以人狼奇洛為首的黑狼組分成兩個小隊，其中一個小隊由奇洛帶領，另一個則是以鳥人露比為首，他們將會分別向天啟集團的兩個小據點**發動突襲**，而囚禁海德拉的重心據點，將會由阿諾特和艾翠絲親自出擊。

　　「老大……以我們的人數，不可能完成任務吧？」阿諾特亂來的行事作風奇洛十分清楚，但這一次真的令他難以信服。

　　「我們加起來只有十多人，集中行動可能還有望摧毀一個據點，但分頭行事……」阿諾特向來不會讓同伴**冒險犯難**，但情況不明，露比不得不提出疑問。

「我們必須同時向三個據點發動攻勢，才能減少被調派增援包圍的機會，也只有這方法才能殺他們一個措手不及，**一網打盡！**」

阿諾特不只要救出海德拉，還要重挫天啟財團。

天啟財團的野心不止步於人界，放任不管的話，他們很快便會向魔幻世界伸出**魔爪**，就算阿諾特沒法完全阻止這結局，最起碼能拖延時間，讓他的同胞，身在魔幻世界的妖魔有時間作準備。

　　「就算你說的有道理，也不能叫大家不顧性命安全呀。你說過會找來援軍，他們到底在哪裡？」艾翠絲追問。

　　阿諾特當然有為妖魔的利益為先的理由，但艾翠絲沒有；她是個獵人，更是個應該為**人類福祉**為優先的獵人。

　　「放心吧⋯⋯援軍應該差不多到達人界了，約娜和依娃已出發迎接他們，而且他們每一個也不是**泛泛之輩**。今晚行動的時間，他們將會分別和我們三路人馬會合。」阿諾特一直保持神秘，不讓艾翠絲知道援軍的真面目，是怕她知道的話會無法接受。

「**老大！**那我和小靈呢？我們也很能幹的！」小貓女菲蕾和擁有預知能力的小靈舉起手問。

「我們不是去玩呀，小孩子晚上要早點上床休息！」阿諾特嚴肅的說。

「但我們也想幫忙呀……老大在為保護大家而戰吧，我們也想幫助大家呀。」菲蕾懂事的樣子**惹人憐愛**，他們這個大家庭實際上

是身處人界的妖魔的縮影：容易被人類誤解、容易被獵人針對，但為了保護同胞奮不顧身、團結一致。

「那⋯⋯你們兩個負責看家吧，確保其他弟弟妹妹吃飽睡好，是很重要的工作呀！ 」阿諾特輕拍兩個小孩的頭顱。

阿諾特在人界找到了存在價值，他變得比昔日更強大，今晚他要用這份強大保護自己的族群，再次挑戰昔日難以擊倒的高牆——

**黑賀忍者的首領，右京。**

女兒國內，慶祝活動持續進行，國民吃飽喝足，**樂極忘形**，沒有人留意到陌生的臉孔混入女兒國內。

「卡爾，安德魯真的在這裡嗎？」四葉一行人剛到達女兒國。

「我的確能嗅到安德魯和迦南的氣息，但是……」為了進入男性的禁地，卡爾也只好變裝成女孩子。

「**但是什麼？**」艾爾文同樣無法倖免，換上女裝令他渾身不自在。

「但是這裡充滿了美食的香味，我很難集中精神啊！我已經跑了一整天，人家沒有氣力了啦！」

　　肚子咕咕作響的卡爾在**鬧彆扭**。他變成人狼讓大家坐在背上跑了一日一夜，才這麼快到達女兒國。

　　「這時候你還有心情吃東西嗎？我們可是**非法入境**的犯人啊。」奉公守法的艾爾文不時留意途人的目光，擔心男兒身遲早會被發現。

　　「卡爾也不無道理……我們已整天沒吃過東西了。」舟車勞頓加上四週圍街邊小食的香氣撲鼻，愛莉也抵受不住美食的誘惑。

「你們是觀光客嗎？看你們的樣子不像是東方的妖魔啊？」小食檔的老闆娘問。

「**對對對！** 我們是魔幻學園的學生，此行……是聽聞女兒國有慶祝活動，所以來觀摩觀摩的！」四葉搶著回答，避免卡爾他們露出馬腳。

「你們 **有口福** 了，女帝下令女兒國今日全國慶祝，所有美酒佳餚都由國家奉送，你們隨便吃吧！」老闆娘親善好客，只要是女性客人，女兒國都十分歡迎。

「**那我們不客氣了！**」

卡爾和愛莉馬上開吃。

　　「請問老闆娘……這次慶祝活動，具體上是慶祝什麼呢？」四葉好奇的問。

「明天是我國**大舉出兵**的日子，我們是為即將到來的勝利慶祝；全國上下為女帝送上祝福，祈求儀式順利進行，女兒國武運昌隆。」老闆娘對女帝充滿敬畏之心。

「那請問這儀式到底是什麼儀式？又會在哪裡進行呢？」艾爾文擔心地問。

「儀式到底是什麼我也不清楚呢，只知道會在先王陵墓進行……不過女兒國全國上下對國家都**充滿信心**，只要是女帝說的，都一定是正確的！」在女兒國國民心中，女帝的說話就是權威，代表一切。

艾爾文和四葉立即意識到不妙，女兒國突然如此高調，揚言向兩國發動進攻，這和儀式絕對有密切關係。而說到儀式，他們第一時間想到的，就只有以聖舍利來製造超級殭屍大軍的殭屍秘法完全版。

曾經一統東方的鳳明君死後，後世人為紀念他建立了一座**雄偉壯觀**的陵墓，這座龐大的陵墓沒有人闖入過，因為內裡機關重重，而且像迷宮般結構複雜，以保護藏在陵墓裡的豐富財產。

　　「想不到儀式進行的地方，會是這裡。」鳳禧被妖魔三仙人帶領進入先王陵墓。

　　「沒錯，女帝需要**殭屍大軍**，而陵墓裡正擺放著成千上萬具陪葬屍體。他們生前全都是忠心耿耿的將領，是為女帝一統東方最佳的人選。」虎力大仙邊說邊以法術解除四週圍的機關。

　　「更令我想不到的，是你們會如此熟悉這地方。」陵墓有很多**足以致命**的陷阱和機關，以防止盜墓者入內偷取金銀珠寶，就連鳳禧也不敢擅入陵墓。

「因為陵墓的設計我們三師兄弟也有份參與，重遊舊地實在勾起我很多回憶。」羊力大仙按下機關，阻擋他們去路的牆壁忽然崩塌，取而代之的，是一條長得**不見盡頭**的階梯。

「先王對我們的恩情，我們從未遺忘，能為和他血脈相連的後人效命，實在是冥冥中自有緣份。」鹿力大仙**笑容可掬**，和女帝身後表情繃緊的人相映成趣。

以虎將軍為首的女帝親衛隊，每一個也是久經沙場的女將，但她們全都十分緊張，陵墓充斥詭異氣氛，令她們感到不安。

「我是個恩怨分明的人，只要殭屍大軍助我一統東方，你們想要什麼官職我也滿足你們。但相反的……若然你令我**空歡喜一場**，我保證你們三個人頭落地。」鳳禧沒有耐性再等下去，展開鳳凰翅膀飛到陵墓的最底層。

陵墓的最底層整齊排列著成千上萬的士兵石像，像是人類歷史中秦朝的兵馬俑，不同的是這些石像內都貼上**符咒**，並密封住士兵的屍體，起了防止腐化的作用。

士兵的正前方擺放著三米高的鳳明皇神像，那威嚴的樣子令人望而生畏。

　　這裡就是儀式進行的地方，改變東方魔幻世界的重要時刻將會在這裡發生。

　　東方魔幻世界五指山上，除了孫悟空外，丹妮絲、麒麟校長和龜仙翁也被分別壓在巨石之下。

麒麟校長和龜仙翁在把小猴帶回學園後便開始外出調查，校長擔心東方魔幻世界中有人想挑起戰爭，他的擔憂的確是正確的，只是他沒有想到忍者右京有著驚人的本領。

能把魔力無效化的「**破邪之眼**」結合大型符咒法術，把在場四人的力量徹底封鎖，被壓在巨石下動彈不得。

「快吃吧，你已三天沒吃過東西。」右京每天也會為丹妮絲帶來食物。

「我不吃。」丹妮絲拒絕接受右京的好意。

「**你死了的話，你的徒弟們會很傷心的**。」念在昔日之情，右京沒有傷害丹妮絲。

「製造殭屍引發戰爭，把活人當作實驗品，你所做的事正在令更多人傷心難過……假若你還有一點**良知**，就把我們放了吧！」丹妮絲勸說。

「那我等忍者面對迫害、被追殺的時候呢？有誰為我們難過？有誰願意放過我們？」右京心意已決。

「今晚過後，人界和魔幻世界也會迎來重大改變，在這之前，你們還是乖乖留在這裡吧。」右京望向夜空，明月高掛，距離儀式進行的時間已所剩無幾。

兩個世界**爆發戰爭**，是右京樂見的事，到時候忍者的地位將會大大提升，成為人類世界重要的戰力。

「右京，大事不妙……」忍者左之助和櫻花穿過傳送門前來報告。

「吸血鬼阿諾特找到我們的據點了。」黑色的火雨在人界落下，阿諾特向天啟財團發動攻擊。

阿諾特率先採取行動，他和右京的宿命對決勢在必行。

# 第六章
# 強援

阿諾特一行人兵分三路，向天啟集團旗下的三個重要據點同時發動攻擊。當中最為重要的，是囚禁著前黑魔法派領袖——九頭蛇海德拉的摩天大廈。

「黑暗火焰箭雨！」阿諾特選擇從正面突破，黑色的火焰如雨落下，襲向摩天大廈正門的守衛。

「**是敵襲！**馬上做好防禦準備！」看守大門的守衛一邊退後，一邊調配更多人手前來應付阿諾特。

「魔力大炮小隊準備迎擊！」作為天啟集團的重要據點，這裡的守衛都配備了先進的魔力裝備，透過發光水晶提供的魔力，擁有超乎凡人的戰鬥力。

阿諾特之所以**大搖大擺**的在正門進
攻，是為了盡量吸引敵方的注意。

黑焰巨盾！

「你們人類就只有這些本事嗎？以為憑這種槍炮，就攔阻得了本王子嗎？」阿諾特刻意挑釁，希望守衛的注意力集中在他身上。

「你這黃毛小子⋯⋯竟敢小看我們！」天啟集團僱用的守衛都是曾參軍入伍的專業人士，對阿諾特這年輕妖魔嗤之以鼻。

「別受他的**激將法**影響，你們的職責是守住這大門！」守衛差點便中計踏出大廈範圍，但統領他們的人及時制止，繼續死守大門，以魔力大炮連番射擊。

「守望者加百列⋯⋯要攻破這裡果然沒這麼容易。」阿諾特集中防守，有加百列指揮守衛，要完成任務難上加難。

自從艾翠絲把記錄了加百列親口說出天啟財團惡行的錄像發佈給所有公會獵人後，公會再也不能**明目張膽**去包庇天啟財團，唯有被停職等候處分的加百列奉命繼續協助這群不

法分子。

「放馬過來吧，憑你和你手下那群蝦兵蟹將，只不過是在以卵擊石。」加百列充滿信心，摩天大廈的外層受結界保護，要進入內部救出海德拉，必先越過他看守的大門。

「蝦兵蟹將？你這樣說他們的話，很快便會後悔莫及，畢竟黑魔法派的幹部，全都是小氣又記仇的人。」阿諾特竊笑著說。

「什麼？」加百列還未知道大難臨頭，阿諾特從不打沒有把握的仗。

「黑魔法，幽暗泥沼。」地面變得如沼澤般吸住守衛的腳，阿諾特從皇城請來的援軍正式加入陣營。

「阿諾特你別和他繼續廢話連篇，海德拉大人正在等我的。」依娃從泥沼中冒出，殺守衛們一個措手不及。

「什⋯⋯什麼回事？放開我！」

一個又一個守衛深陷泥沼之中，愈是用力掙扎只會加速掉下的速度。

「自由的空氣果然是最清新的，在監獄的日子實在悶得令人發瘋。」不只依娃，賽伯拉斯也從泥沼中冒出，一雙利爪把兩個守衛狠狠重創。

「既然我們能**重獲自由**，阿諾特你背叛過黑魔法派這筆帳，便一筆勾銷吧。」蠍子女妖妮歌以蠍尾毒針刺向加百列。

「黑魔法派的幹部？他們不是在魔幻王國的監獄中服刑嗎？為什麼會出現在人界的？」加百列立即退後閃避，黑魔法派幹部的出現，是他始料不及的。

不死族妖魔依娃、地獄三頭犬賽伯拉斯和蠍子女妖妮歌，三個幹部均擁有驚人的實力，他們的加入，徹底改變了戰局。

不擇手段可不是人類的專利，我只是以其人之道，還治其人之身。

阿諾特洋洋得意的說。

早前阿諾特向阿瑟請求援兵，但魔幻王國不能派兵干預人類世界的事，唯有罪犯的行為不會令阿瑟負上責任。所以阿諾特提出假裝黑魔法派幹部逃離監獄，借助他們的力量來救出海德拉。

「竟敢囚禁海德拉大人，利用他的力量……你們這些人類真是**膽大包天！**」依娃怒髮衝冠，她絕不饒恕天啟財團的所作所為。

黑魔法派的幹部當然會傾盡全力拯救他們的領袖，阿諾特這計謀可謂天衣無縫。

「我實在意想不到，你說的援軍竟然是魔幻王國的罪犯。」艾翠絲**十分矛盾**，仍然身為獵人的她，此刻竟和逃犯站在同一陣線。

「若不是有他們幫助，我們又怎會這麼輕易攻入這大廈？」阿諾特和艾翠絲成功進入摩天大廈，**不費吹灰之力**便攻破第一道防線。

加百列得知黑魔法派大舉入侵後，馬上開始調配更多人手前來摩天大廈加強防備，但是其餘兩個據點並沒有回應，因為這兩個據點，同樣面對突如其來的襲擊。

天啟財團旗下的武器工場內，鳥人露比和幾個黑狼組的成員已攻入內部，他們不用自己出手，工場的守衛便人仰馬翻，因為阿諾特安排到這地方的援軍力量強大得驚人。

　　「二郎，盡情破壞吧！」四手巨人一郎和獨眼巨人二郎勢不可擋，他們是黑魔法派實力數一數二的幹部。

　　「哥哥，這個不好吃……」智力偏低的二郎一口便把魔力大炮咬碎。

　　「因為這些都是不能吃的……我們趕快把這裡收拾乾淨，阿諾特說過會請你吃大餐當報酬的。」巨人堅硬的皮膚無懼魔力大炮，這令一郎和二郎佔盡上風。

　　「我開始不知道誰才是壞蛋了……」看著雞飛狗走的人類，露比感覺自己更像是邪惡的一方。

雖然魔力大炮威脅不了一郎和二郎，但天啟財團研究的科技武器不止於此，沈重的一拳擊打在二郎臉上，他的一顆白齒掉落地上。

二郎！

一郎馬上支援弟弟，天啟財團為了對抗大型妖魔而研發的重型兵器初次出場。

「這⋯⋯到底是什麼東西？」露比被眼前高大的機械人嚇呆了。

和巨人體型相當的「魔力機甲」是天啟財團的秘密武器，以大量發光水晶提供動力，由內裡的人類駕駛員操作。

同一時間，人狼奇洛進攻的另一個據點也出現了魔力機甲，這樣的武器若能大量生產，人類稱霸魔幻世界絕非不可能的事。

「各位，動作要再快一點！我們的任務是救出這裡的小孩子！」奇洛所在的據點表面是一所醫院，實際上是對人類小孩進行實驗的地方。

小靈被阿諾特救出後，天啟財團並沒有放棄令普通人也能使用魔法的實驗，更多像小靈的孩子在這裡正受盡**不人道**的對待。

# 「消滅你們！」

　　魔力機甲拳拳有力，身上更裝有多支魔力大炮，令人狼們吃盡苦頭。

　　「阿諾特說得沒錯，你們人類要比我們所知道的更邪惡。」但第三個據點同樣有黑魔法派的幹部前來協助，曾經是扶助國王阿瑟的首相——鳥人福特呼喚起強風，阻擋魔力機甲的去路。

　　「所以海德拉大人創立黑魔法派，就是為了把這樣的人類蕭清。」毒蜂女莎朗、變色龍索隆也在此，黑魔法派的幹部可謂精英盡出，齊集人界。

## 第七章
# 全員集合

　　安葬著鳳明君和大批士兵的鳳凰陵墓內，迦南、安德魯和雙兒雖然成功潛入內部，但卻被這裡有如迷宮般**錯綜複雜**的結構難倒了。他們不像妖魔三大仙般熟悉這裡的機關佈置，不斷觸發機關遇上危險。

　　「我不是**千叮萬囑**你們不要亂碰週圍的東西嗎？」雙兒拼命奔跑，巨大的岩石滾球正從後追趕他們。

　　「我又怎知道連摸到牆壁也可能會觸發機關呢？」安德魯等人已迷失方向。

　　「這邊！大家快跟我來！」迦南找到一道房門，迅速帶領大家衝進去躲避。

　　只是**一波未平，一波又起**，在他們踏入房間的瞬間，四面牆壁開始向中心移動，

誓要把房內的人**壓成肉餅**。

「不會吧？這裡的機關設計就像預計到我們的下一步。」雙兒感覺進入陵墓後，三人的一舉一動均被精準預判。

「可惡……這樣的牆壁休想困得住我！」安德魯亮出魔法杖，以雷電魔法向牆壁發動攻擊。

「慢著！」迦南想要阻止已經來不及，牆壁上施加了反射魔法的特殊符咒法術，迦南曾在唐老師的課堂上見過。

安德魯反被自己的攻擊所傷，自從踏入陵墓後，他便失去往常的冷靜和理智，雙雙和唐老師**危在旦夕**，他們卻處處碰壁。

「是防範魔法的法術，這陵墓用來防範盜墓者的措施未免太多了吧？」雙兒同樣心急如焚，但心急是無補於事的。

特別是對安德魯，血癮的影響會隨他的心理狀態改變，愈心急他便愈難壓抑想吸血的衝動。

「**縮小魔法！**」唯獨迦南最能保持頭腦清晰，她以魔法把大家的身體縮小至大拇指般的大小，雖然還未脫險，但起碼能為大家爭取多一點時間。

明知道雙雙和唐老師就在附近，但安德魯卻束手無策，迦南能理解安德魯的激動。

「別焦急，我們一定會找到她們，一定能阻止儀式的。」迦南輕輕抱住安德魯，她在轉生之鏡中目睹過自己和安德魯上一輩子的結局，安格斯痛不欲生的表情她還**歷歷在目**。

迦南看著手中的魔法杖，這是上輩子女王迦莉用來創造無數奇蹟的「女王的權杖」，只要有這支魔法杖在手，迦南便感覺無所不能。

「集中精神⋯⋯只要轉移離開這裡就安全了。」迦南閉上眼睛，放大**感官能力**。

只要打開傳送門就能離開這危險的房間，但是迦南從未來過這裡，她無法控制傳送門另一邊的準確座標，萬一降臨地點落在更危險的地方，隨時會危害到她們的性命。

「迦南……要快點行動了。」雖然已變得細小，但雙兒看著逐漸迫近的四面牆，知道安全的時間已所剩無多。

「**救救我……**」男人的聲音在迦南腦海中響起。

「是誰？」迦南凝神靜聽，向她發出求救的聲音不止有一個。

「**快點……不然就來不及了。**」男人懇切哀求。

「我們不想再被困在這裡，不想被人利用。」更多的聲音在對迦南求助，令迦南頭痛欲裂。

「迦南，你怎麼了？」安德魯看著迦南痛苦的表情不知如何是好。

「**我能感受到……很多人在受苦，他們充滿悲傷，他們需要幫助……**」迦南按著發痛的頭顱，兩眼止不住流著淚水。

「迦南，沒時間了！不管那裡也好，先傳送我們離開再算吧！」四面牆壁已近在眼前，雙兒只能把希望全賭在迦南身上。

繼續被這種**悲傷的情緒**影響，迦南很有可能會被壓垮，幸好在繁雜的求救聲中，迦南聽到一把熟悉的聲線。

「這裡到底是什麼鬼地方呀？安德魯又到底在哪裡呀？」是卡爾的聲音，成為了迦南等人的一絲希望。

「**是這裡了！**」迦南睜開雙眼，把握機會在三人腳下打開傳送門。

**千鈞一髮**之際，迦南等人成功逃過被壓扁的厄運，掉落到一個毛茸茸的地方。

「有什麼掉到我的鼻子上了，很癢啊！有誰能幫我一下嗎？」卡爾變成大狼背上坐著四葉、愛莉和艾爾文，他們一路追到女兒國後，跟隨安德魯的氣味來到陵墓。

「你快跑啊！現在哪是幫你搔癢的時候？」四葉看著後方的石板一塊又一塊掉下無底深淵，稍有差池她們一行人也會遭殃。沒有後路，旁邊兩面牆壁同樣存在機關，不停向他們射出箭矢。

「這樣**大費周章**設置陷阱到底是為了守護什麼？抑或是用作隱藏什麼？」艾爾文快速揮動銀劍，把箭矢逐一擊落。

「卡爾，是我們呀！」小小的安德魯在卡爾的鼻子上向他揮手，能在這裡遇到卡爾等人實在是意外收穫。

「安德魯？你為什麼
會變得這麼細小的？是吃
錯東西了嗎？」卡爾驚喜
萬分，走了這麼遠路，終
於成功和安德魯會合。

迦南！還有這位
小姑娘是誰？

四葉馬上把三人捧在手心上。

「沒時間解釋了！卡爾，快用力跳啊！」迦南看著前方唯一的出路，石門從上而下緩緩降落。

「知道了！害我花了這麼多氣力，迦南和安德魯，你們事後一定要請我吃大餐呀！」卡爾傾力一跳，及時在石門關閉前逃過這危險的長廊。

「縮小魔法，解除！」迦南鬆一口氣，這房間貌似沒有機關陷阱。

「你們這兩個壞傢伙！我還以為以後見不到你們了！」卡爾喜極而泣，淪為東方魔幻世界逃犯可不是一件小事。

迦南和安德魯一次又一次被捲入危險之中，幸好他們並不是**孤軍作戰**，在一路上結識到的朋友，是對他們不離不棄的好伙伴。

> 卡爾你哭什麼啊！害得我也想哭了……迦南！

　　四葉緊抱迦南，緊張的情緒緩和後眼淚傾瀉而下。

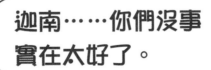

> 迦南……你們沒事實在太好了。

　　愛莉也一樣，雖然她們阻止過不少危機，甚至奮起對抗黑魔法派，但她們終究只是年輕人。

雙兒望著眼前這些重視對方的人十分感觸，如果她和雙雙出生在別的家族，她們又會否認識到這麼不分彼此的好朋友、好伙伴？

「大家……快來看看這些壁畫，這個地方……到底隱藏著什麼秘密？」艾爾文觸覺敏銳，他環顧四週細心觀察，他知道這些壁畫在訴說一個不為人知的故事。

「**救救我們**……已經快沒有時間了。」男人的求助再次在迦南腦中響起，聲音的主人正是壁畫記載的故事中那個主角。

## 第八章
# 以惡制惡（上）

摩天大廈內，阿諾特帶領依娃等黑魔法派幹部正面進攻，除了使用魔力大炮的守衛外，最新型的武器魔力機甲也出現在他們面前。

「人類創造的玩意，比賢者之城的史萊姆更難對付呢。」妮歌的蠍尾毒針沒法刺穿機甲堅硬的外殼，人類創造的機甲是針對妖魔而設計的戰爭武器。

開發者汲取了魔力拳套不敵阿諾特的教訓，除了提高攻擊力外，更大大加強對駕駛員的保護。

「魔犬衝擊波！」賽伯拉斯打出全力一擊。

「魔力防禦網。」魔力機甲攻守兼備，能作魔法師般使出防禦魔法。

「再堅硬的外殼，也不過是用來保護內裡脆弱的人類；讓我來看看在頂尖的妖魔面前，這玩意能保護人類多久。」依娃兩手燃起翠綠的火焰，不死族妖魔的**幽靈鬼火**，把魔力機甲圍繞起來。

「你們妖魔的魔力是有限的，但我能隨時以發光水晶填充魔力，持久作戰絕對不會輸！」駕駛員信心十足，集中力量加強防禦網，待依娃力竭筋疲之時，就是他反擊的時機。

天真。

依娃毫不動搖，翠綠的火焰雖然燒毀不了魔力機甲，但能達到她想要的效果。

防禦網能隔絕火焰，但無法阻礙熱力的傳遞，置身被翠焰包圍的魔力機甲，有如在密不透風的焗爐之中。

「不妙……她想把我活生生烤熟……」駕駛員察覺已為時已晚，金屬製作的機甲已變得無比灼熱。

「我很久沒有聽過人類的悲鳴了，慘叫吧！痛哭吧！讓我感到滿足吧！」在認識迦南前，不死族的依娃是殺害過無數生命的妖魔，麻木不仁才是她的本性。

對黑魔法派來說，**塗炭生靈**只是達成目標的手段，他們不會為此感到悲哀。對於借助他們力量的阿諾特來說，這一點並沒所謂，但對艾翠絲而言，是不能接受的。

艾翠絲攔住依娃，她的手已緊緊握住手槍。

「丫頭，你沒有資格命令我。」得知人類對海德拉所做的事後，依娃怒氣難消，人類由始至終，也不是她的朋友。

「我們是為救出海德拉而來的，而且阿諾特答應過我，你們絕不會濫殺無辜。」艾翠絲已作好隨時和依娃對立的準備。

「濫殺無辜？你確定在這裡助紂為虐的人是無辜？」只要再加把勁，機甲內的人就會被依娃殺死。

「他們是不是無辜，還輪不到你來定斷，人界的法律自然會向他們追究。」艾翠絲立場堅定，面對強勢的依娃，也毫不膽怯。

「與其在這裡浪費時間爭論，不如加快腳步搜尋大廈吧。」若非阿諾特出面制止，依娃和艾翠絲少不免一場大戰。

「我同意阿諾特說的話，這樣的機甲不會只有一部，而且公會獵人恐怕不會對我們袖手旁觀。」賽伯拉斯以大局為重，眼下最首要的是救出黑魔法派的首領，待他們重整旗鼓後，再對人類報復也未遲。

「小心那個穿藍色服裝的獵人，他和其他獵人完全不在同一級別。」阿諾特提防著加百列。

「阿諾特，奉勸你別和人類建立感情……這是會害死妖魔的。」蠍子女妖妮歌看出阿諾特有別於以往，他和艾翠絲之間肯定發生了什麼。

待三個黑魔法派幹部向上樓移動後，艾翠絲才開口說話。

「你的做法……我實在沒有辦法認同，黑魔法派的幹部根本不受控制。」艾翠絲把機甲內的駕駛員救出，受傷嚴重的駕駛員已陷入昏迷。

「難道你能想到更好的做法？」阿諾特態度變得開始激動。

「我想不到，但也不等於你的做法是對的。」艾翠絲回應。

「沒有力量去維持的正義，只不過是空口說白話，這一點你到現在還是不明白嗎？」阿諾特嘗試過很多次，想去改變艾翠絲固有的想法，包括在兩人一起面對守望者加百列時。

艾翠絲無言以對，她想起分部長說過的話。為了實踐心目中的正義，阿諾特不惜化身為惡人，**以惡制惡、以暴制暴**。日復日面對強敵，他的界線只會變得愈來愈模糊不清。

「你的師父也在
等我們拯救，你不跟著
來，我不會勉強你。」
阿諾特說罷便轉身，準備繼
續他要走的路。

艾翠絲明白到她和阿諾特已漸行漸遠，這段日子以來她不停走向對方，但卻始終無法跟隨阿諾特的步伐。就像光明會**驅走黑暗**，黑暗卻嘗試**吞噬光明**，兩者難以共存。

　　全靠黑魔法派幹部的介入，奇洛等黑狼組成員得以順利行動，醫院內被捉來進行實驗的小孩子已全數救出，但奇洛還有另一個任務還未達成。

　　「我找遍這裡也不見**發光水晶**，露比你那邊呢？」奇洛和露比身負重任，找出發光水晶並全部銷毀，這是阿諾特的指示。

　　武器科技一旦開發完成，便沒有辦法阻止他們在未來的日子繼續生產，但只要沒有能源，這些武器只是一堆廢鐵。

　　魔力機甲雖然堅硬無比，但黑魔法派幹部身經百戰，毒蜂女莎朗很快便想到對策。

# 救……救命呀！

無數爬過毒蜂機甲之間的罅隙進入內部，駕駛員被毒蜂尾後針刺得叫苦連天。

「外強中乾，只要收拾內裡的駕駛員，這些機甲便不值一提。」變色龍索隆隱藏身影，待駕駛員忍受不住離開魔力機甲，便成為他的獵物。

在黑魔法派幹部面前，天啟財團的得意之作也**不外如是**。

「二郎，用力拉！」四手巨人一郎扯住魔力機甲左手，獨眼巨人二郎則扯住右手。

兩個巨人用力一扯，魔力機甲便失去反擊之力，內裡的駕駛員只好舉手投降，這就是現階段，人類和妖魔之間存在的距離。

「我這邊也沒有發現……」露比站在空蕩的倉庫透過無線耳機回應，兩個小隊一直保持緊密聯繫。

「奇怪了……明明應該是存放發光水晶的地方，內裡卻空空如也。」露比疑惑地說。

「會不會是對方預料到我們的行動，提早把發光水晶運到別的地方了？」奇洛問。

「不，比起早有預料，更似是有背叛者吃裡扒外。」露比曾是女飛賊，她感覺連這裡的守衛也蒙在鼓裡。

若早已知道有人會發動襲擊，天啟財團大可以提早帶同所有物品撤離，不用浪費一兵一卒去守備。這顯然是內部出現了叛徒，把重要的資產靜悄悄偷走。

內裡的人全部放下武器，舉手投降。我們是公會派出的獵人，你們已被重重包圍了。

工廠外突然傳來獵人的呼喊。螳螂捕蟬，黃雀在後，獵人公會始終選擇站在人類的一方。

## 第九章

# 以惡制惡（下）

　　摩天大廈天台上，眼見形勢不妙的加百列向另外兩個據點撥打了數通電話，但全部都無人接聽，可想而知兩個地方也同樣面對著阿諾特所安排的突擊。

　　「米迦勒，阿諾特找來黑魔法派的幹部，天啟財團的據點快失守了。」形勢難以控制，加百列唯有向總部求助。

　　「既然是犯罪的妖魔，就交給各分部的獵人解決吧。」電話另一邊的守望者米迦勒氣定神閒，就像事不關己一樣。

　　「這樣真的沒問題嗎？依我所見……若不派出其他守望者，難以**扭轉局面**。」加百列說。

「公會對天啟財團已給予過多的保護，現在研究已取得成果，加上女王**覺醒**在即，我們是時候為下一個階段做準備了。」就算同樣是人類，守望者和天啟財團只是各取所需，互相利用的關係。

「你也離開那裡，盡快回來總部吧。我還要招呼我的客人。」米迦勒掛斷電話，他有更重要的事情要辦。

「既然是總部的命令，我也只好放棄天啟財團了。」加百列很清楚，只要**失去利用價值**，他一樣隨時會被守望者的首領拋棄。

「想逃跑？沒有這麼容易。」蠍子女妖妮歌從後襲擊，被加百列及時發覺閃避開去。

「魔犬衝擊波！」衝著加百列而來的不只妮歌，賽伯拉斯也向他發動攻擊。

「竟然一次來了兩個黑魔法派的幹部，實在令我受寵若驚。」加百列拔出黃金雙槍，連發光彈抵消了賽伯拉斯的攻擊。

「獵人公會的守望者，你們的名號我聽得多了，但實際上有多厲害，還是得親身領教才知道呢！」賽伯拉斯喜愛戰鬥，面對愈強的對手他愈興奮。

「是誰在幕後操控這一切，捉拿海德拉大人的**主腦**到底是誰？」妮歌對戰鬥不感興趣，找上加百列是為求得知報復對象的真正名字。

「唔……很抱歉呢，就算我想告訴你們也沒有辦法，因為天啟財團的**真正老闆**從不現身人前，視像會議上的人，只是他的替身。」加百列所言非虛，他亦只是被擺佈的其中一隻棋子。

「那麼你便沒有利用價值了，受死吧！」賽伯拉斯正想上前之際，用來接載加百列的交通工具剛巧到達半空。

「*貫穿黑夜的曙光。*」加百列把兩把手槍並排在一起，射出強力的鐳射光束，就算是黑魔法派的幹部面對這麼猛烈的攻擊亦只能全力防禦。

「人類和妖魔是無法共存的，你們若繼續留在人界，我們終有一日會再見面，勝負……就留待那時分曉吧。」加百列微笑著說，然後跳上半空，乘坐直升機離開這個是非之地。

「為什麼你不幫忙，合你我二人之力，一定能收拾這**嬉皮笑臉**的傢伙。」賽伯拉斯用來防禦的兩手感到疼痛，他體驗了守望者非同凡響的實力。

「就算打贏了也得不到我想要的**答案**，倒不如快點和依娃會合吧！而且公會獵人已趕到附近了。」妮歌望向街上朝著大廈前進的獵人們說。

「也對，依娃應該已找到海德拉大人了，黑魔法派捲土重來的日子，指日可待。」賽伯拉斯滿意的笑著說。

艾翠絲的擔憂是正確的，把在囚的黑魔法派幹部放出來是極度危險的事，他們不受海德拉以外的人控制，更不會乖乖回去監獄，這毫無疑問，是**放虎歸山、引火自焚**的決定。

大量獵人湧入摩天大廈，他們都是接到總部通知，黑魔法派幹部襲擊人界企業所以匆匆趕來，當中不乏艾翠絲認識的獵人，例如經營獵人咖啡廳的分部長。

「艾翠絲，你怎麼會出現在這裡的？阿諾特呢？他不是跟你在一起嗎？」分部長這時仍不知道，**始作俑者**正是阿諾特。

「阿諾特……他去了找我師父，還有海德拉……黑魔法派的領袖被關在這裡。」艾翠絲和阿諾特對話結束後便呆站在原地，直至大量獵人湧現，她才清醒過來。

「這裡出現了逃離監獄的黑魔法派幹部，形勢十分危險，如果你不想參與任務，可以先離開這裡。」分部長看出艾翠絲**精神恍惚**，絕不是適合作戰的狀態。

「不，我要去找師父和阿諾特。」艾翠絲提起精神，現在還不是放棄的時候，最起碼阿諾特還未做出不能原諒的行為。

同一時間，阿諾特找到了隱藏在這大廈內唯一的一個**傳送門**，這傳送門接通了忍者右京所在的地方，也就是囚禁著丹妮絲、孫悟空、麒麟校長和龜仙翁的五指山。守在傳送門前面的，就只有佐之助和櫻花兩名忍者。

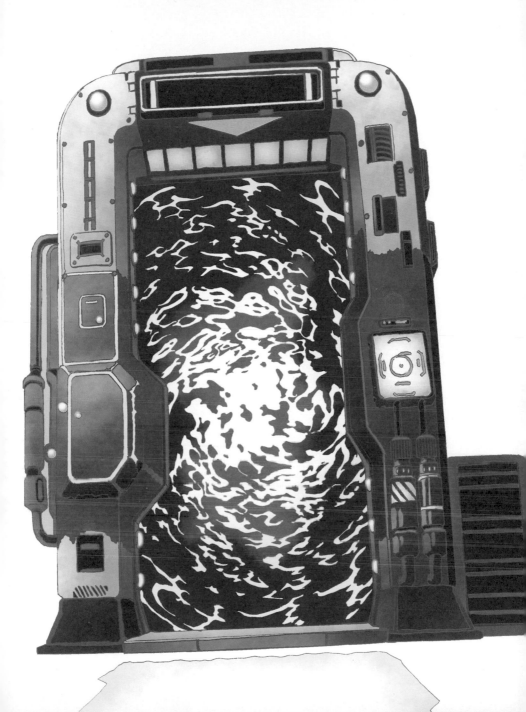

只有你們嗎？
一起上吧。

黑火焰熊熊燃燒；
和右京決一高下，阿諾
特已期待很久，任何阻
撓也不足為懼。

但是佐之助和櫻花沒有攔阻，反
而讓出通道示意阿諾特通過。

「怎麼了？你們不反抗嗎？」阿
諾特一臉問號。

右京吩咐我們讓你進去，他在等你。

佐之助奉命行事，右京對他們最後的命令，就是讓阿諾特一個人進入傳送門。

右京已經從天啟財團得到豐厚的報酬，而這筆報酬將會由佐之助和櫻花帶回去，用來復興忍者的村落。

「有意思。」阿諾特**戰意高昂**，從看到右京那雙震懾所有妖魔的眼睛開始，他便決定要親手打敗這對手。

是右京的出現，令本來失意地前往人界的阿諾特**重拾鬥志**，找到奮鬥的目標。上一次阿諾特毫無還擊之力，現在是跨越這高牆的時候了。

女兒國的鳳凰陵墓內迦南等人進入了一個滿佈壁畫的神秘密室，安德魯和艾爾文正在解讀壁畫所記載的故事，而迦南持續受求救聲音困擾，感到頭痛欲裂。

「你到底是誰？我要去哪裡才能拯救你？」迦南嘗試感應求救的人所在的位置。

「我是鳳明君⋯⋯」男人的聲音十分虛弱。

「鳳凰⋯⋯**成千上萬**的士兵，還有這三個虎頭、羊頭和鹿頭的道士⋯⋯」艾爾文被壁畫的內容驚呆了，妖魔三大仙的樣子竟出現在壁畫之上。

「這些士兵⋯⋯是被他們活生生封在石像，用來當作鳳凰的**陪葬品**。」艾爾文從未聽聞過這麼駭人的事。

107

「不只士兵，他們還把鳳明君的靈魂封印起來。」安德魯眼前的壁畫，是妖魔三大仙把火笛保存起來的模樣，鳳凰之火所表的正是鳳明君的**靈魂**。

「我們搞錯了……不是為了女兒國，妖魔三仙人的真正目的，不是幫女兒國一統東方。」安德魯終於看穿妖魔三仙人計劃的真正面貌。

「再不快點，唐三藏……還有我的女兒，也會成為**犧牲品**。」鳳明君的靈魂正在和迦南對話，緊閉雙眼的迦南能看到一團火焰，火焰之中是鳳明君想傳達給迦南，他臨終時的片段。

鳳凰宮殿內，病重的鳳明君正在進行重要的囑托。

「我死後……各地群雄必定會劃地為王，東方魔幻世界將會迎來**最混亂、最黑暗**的時刻。」鳳明君對著一名虎妖族的將領說，他的身邊站著兩個年紀小小的女孩，其中長大後就成為女帝鳳禧，另一個則是扶助鳳禧的虎將軍。

「我希望你能帶我的女兒遠離戰火，隱姓埋名**好好生活**。」鳳明君輕撫鳳禧的頭顱，這年紀的鳳禧還未長記性。

「陛下……其餘兩位王子已整裝待發，一定能平定內亂，鳳凰的朝代是不會衰落的。」虎將領安慰鳳明君，他對國家還抱有希望。

「我很清楚他們的能力，他們不是治國的材料……而流著我**血脈**的子孫，自然會成為群雄趕盡殺絕的對象。」鳳明君已無法拯救兩位在前線作戰的兒子，他只能寄望女兒能平平安安。

「女兒啊，我衷心希望東方魔幻世界的未來，會是你喜歡的樣子。」鳳明君並不是鳳禧印象中的**重男輕女**，他只是以自己的方式去保護女兒。

待鳳禧離開後，鳳明君準備迎接生命的盡頭，只是他萬萬想不到，他深信不疑的三位重臣，會做出接下來發生的事。

「陛下啊……只有不死的君主、不滅的皇朝，才能為天下帶來真正的和平。」歷史上每次**改朝換代**，也伴隨著戰爭，這是虎力大仙不樂見的事。

「世上所有生命也會迎來終結，這是天理循環，是不可違抗的命運。」鳳明君閉上眼睛，安祥的接受命運。

「可以的，如果這是天理，我們便逆天而行……**命運是可以改寫**，也必須改寫的。」虎力大仙施法把鳳明君的靈魂封印起來，這和大賢者被施放的魔法十分相似。

「我們會為陛下準備好的，鳳凰將會再次翱翔萬里，到時候不只東方……就連西方還有人界也將由陛下帶領，進入永久不衰的新時代。」妖魔三大仙在這時候已經開始計劃。

鳳凰陵墓建成的那天，對鳳明君**忠心耿耿**的士兵將領來到陵墓深處的祭壇，進行鳳明君安葬及送別的儀式。而這卻是妖魔三大仙所設的陷阱，他們都被**活生生**封印成陪葬品，等待鳳明君復活的那天，成為他東山再起的不死軍隊。

但這時代馬家還未研發出現在的殭屍秘法，不完美的殘次品不是妖魔三大仙想要的。所以他們隱姓埋名，潛心研究，靜待所有元素齊集的時刻來臨。

馬家的殭屍秘法、唐三藏的聖舍利、還有成為鳳明君全新軀殼的必須品——流著和鳳明君**相同血脈**的女帝鳳禧。

　　「求求你……救救我的女兒。」這是鳳明君向迦南發出的請求。

　　「我答應你，我一定盡我所能制止妖魔三大仙。」迦南和安德魯同時找到答案。

　　「大家……快過來我身邊，要馬上開始傳送了！」迦南已感應到鳳明君靈魂所在的位置，即是儀式進行的地方。

　　「*吓？傳送去哪裡？*」四葉還是一頭霧水，地板已發出幻彩光芒。

　　「傳送去拯救世界！」迦南說罷眾人一起掉進傳送門裡，待他們再次到達地面，那裡已是被鳳凰之火包圍住的地方。

人界公會獵人總部內，守望
者中的首領米迦勒之所以急於
結束和加百列的通話，是因
為他的面前出現了意想不
到的客人。

「從來沒有妖魔能闖入公會總部這神聖的殿堂，自稱是『時空旅人』的吸血鬼，你到底想說什麼？」說是客人，米迦勒更認為對方是入侵者。

「難道所有時代的獵人都是這麼心急的嗎？我可是千里迢迢來幫助你們的啊。」從未來回到現在的成年約娜，帶著這時代年輕的約娜潛入公會總部，六名守望者神情嚴肅，嚴陣以待。

「笑話，獵人不需要妖魔幫助！」女守望者雷米爾準備進攻。

「你們需要的，一切都是為了女王。」成年後的約娜魔力遠超現在，她一舉起食指，六名守望者全部動彈不得。

「是靜止魔法……這比我所使出的強大得多。」年輕的約娜難以置信。

「我可以輕易殺死在場所有人，但我不會這樣做。因為在令女王得到幸福的前提下，我們是**同一陣線**的。」成年後的約娜拿出了她從未來帶回現在的物品，一支折斷了的魔法杖。

「*女王的權杖……為什麼會斷掉？又為什麼會在你手上的？*」米迦勒驚訝的問。

「可以給我泡一杯咖啡嗎？我們有很多事要促膝詳談啊！」約娜回來現在的所有原因，都跟迦南有關。

迦南正站在重要的分歧點，她所做的每一個決定，每一個結果也會**影響深遠**。不只東方魔幻世界，人類和妖魔兩大種族會迎來怎樣的未來，也掌握在女王的手裡。

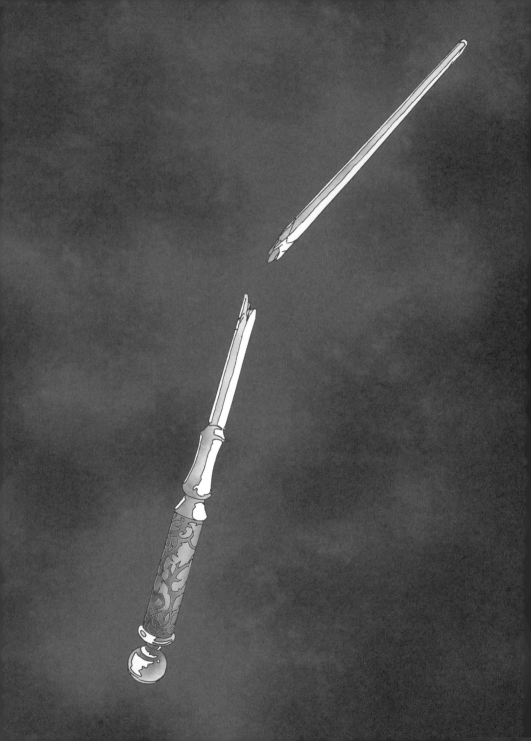

下回預告

# 我的吸血鬼同學

妖魔三大仙奸計得逞，鳳凰之火在東方熊熊燃燒，面對這場殭屍浩劫，安德魯和迦南該怎樣化解？

阿諾特終於迎來他夢寐以求的對決，但結局卻不如他的預期，吸血鬼和獵人的命運或者早已注定。

vol.20　　冬季出版

# 童話夢工場
# 十萬個 為什麼？

系列頭炮，
精選 3 大題目

掃除理財盲！

掃除地理盲！

## 童話夢工場
## 十萬個
## Money 理財
## 為什麼？

Be an
Economist

編著＋盛杰・小尾　繪畫＋那十字

## 童話夢工場
## 十萬個
## Live in HK 地理
## 為什麼？

Be a
Geographer

編著＋盛杰・小尾　繪畫＋那十字
顧問＋張偉賢

公主訓練班

vol. ① - ⑥
經已出版

創造館 青少年圖文小說

花漾

文——陳四月
圖——多利

文——卡特
圖——魂魂Soul

文——陳四月
圖——余遠鍠

文——謝鑫
圖——Mimi Szeto
（司徒恩翹）

文——三聯幫牟中三
圖——力奇

經已出版

# 我的
# 吸血鬼同學

| | |
|---|---|
| 創作繪畫 | 余遠鍠 |
| 故事文字 | 陳四月 |
| 策劃 | YUYI |
| 編輯 | 小尾 |
| 設計 | siuhung |
| 實景 | 張耀東 |
| 出版 | 創造館 |

CREATION CABIN LTD.
荃灣美環街 1-6 號時貿中心 6 樓 4 室

| | |
|---|---|
| 電話 | 3158 0918 |
| 發行 | 泛華發行代理有限公司 |
| | 香港新界將軍澳工業邨駿昌街七號二樓 |
| 印刷 | 高科技印刷集團有限公司 |
| 出版日期 | 2023 年 9 月 |
| ISBN | 978-988-76570-4-0 |
| 定價 | $68 |
| 聯絡人 | creationcabinhk@gmail.com |